ゆかいなことば つたえあいましょうがっこう

でんごんゲーム

宮下すずか
絵 市居みか

チャイムが　なって、
つたえあいましょうがっこう　一《いち》ねん一《いち》くみの
こくごの　じゅぎょうが　はじまりました。
たんにんは、ハムスターの　シホせんせいです。
せんせいは　いいました。
「きょうは、でんごんゲームを　やりましょう。
じぶんより　まえの　子《こ》から　きいた　ことを、

うしろの 子《こ》へと つぎつぎに つたえて
いく ゲームです。」
一《いち》ねん一《いち》くみは、ぜんいんで 十七《じゅうなな》ひきです。
八《はっ》ぴきと 九《きゅう》ひきの 二《ふた》つの グループに
わかれました。

さあ、はじまりました。
ひそひそ　こそこそ、ないしょばなしみたいに
みみもとで　ささやきます。
その　でんごんが、さいごに　ならんで　いた
いのししの　ナハくんと　くまの　マヤちゃんに
とどくと、シホせんせいが　いいました。
「それでは　ナハくんと　マヤちゃん、じぶんが
きいた　ことを、こくばんに　書《か》いて　ください。」

いのししの　ナハくんが　書《か》きました。

「一月十五日《いちがつじゅうごにち》　となりの　おばさんが
すべりだいで　ころんで　かわいかった。」

くまの　マヤちゃんも　書《か》きました。

「七月二十五日《しちがつにじゅうごにち》に　とりの　おばぁさんが
すべって　かわうそに　なった。」

シホせんせいは　わらいながら、こくばんに
もとの　ぶんしょうを　書《か》いて
よみあげました。

「一月《いちがつ》二十五日《にじゅうごにち》に　となりの　おばあさんが
すべって　ころんで　かわいそうだった。」

「かわいそう」が「かわうそ」に
なって　しまったなんて、

きょうしつは、
わらいごえだらけです。
「せんせい、もう　一《いっ》かい！」
みんなは　せんせいに
おねがいして、もう　一《いっ》かい
やる　ことに　なりました。

さいごに　ならんで　いた　子《こ》が、

それぞれ　こくばんに　書《か》きました。

「さいとうさんと　ジュースを　八《はっ》ぱい
のもう。」
「さとうさんと　ジュースを　らっぱのみ
しよう。」

その　となりに、シホせんせいが
もとの　ぶんしょうを　書《か》きました。

「さあ、いとうさんと　ジュースを
はらっぱで　いっぱい　のもう。」

なぜ　こんなにも　ちがって
しまったんだろうと、みんなは
くびを　かしげながらも、またまた
大《おお》わらいを　しました。
「このように、あいだに　だれかが　入《はい》ると、

もともとの　ことばや　ぶんしょうが　かなり　かわって　いって　しまいます。『あかい　花《はな》』と　いったのに、『あおい　花《はな》』に　なって　しまう　ことだって　あります。きいた　ことを　その　まま、口《くち》で　まちがい　なく　せいかくに　あいてに　つたえるのは、なかなか　むずかしい　ことですね。」

せんせいの　はなしに、クラスの　だれもが

うんうんと　うなずいて　いました。

つぎの　日《ひ》の　あさの　ことです。
りすの　ケイちゃんと　おじいちゃんは、
いつものように　いえを　いっしょに　出《で》ました。
とちゅうから、ケイちゃんは　がっこうへ、
おじいちゃんは　さんぽへと　べつべつに
すすみます。

かいらんばん
つたえあいましょう

その　日《ひ》、ケイちゃんが　おじいちゃんと
あるいて　いると、アルパカの　おばさんに
あいました。
「いまね、ビーバーの　おばあちゃんから
きいたんだけど、コアラの　モモちゃんが
けがしたらしいの。『いたい、いたい』って、
おもてまで　きこえて　きたみたいだから、
そうとう　いたかったんでしょう。ほねが

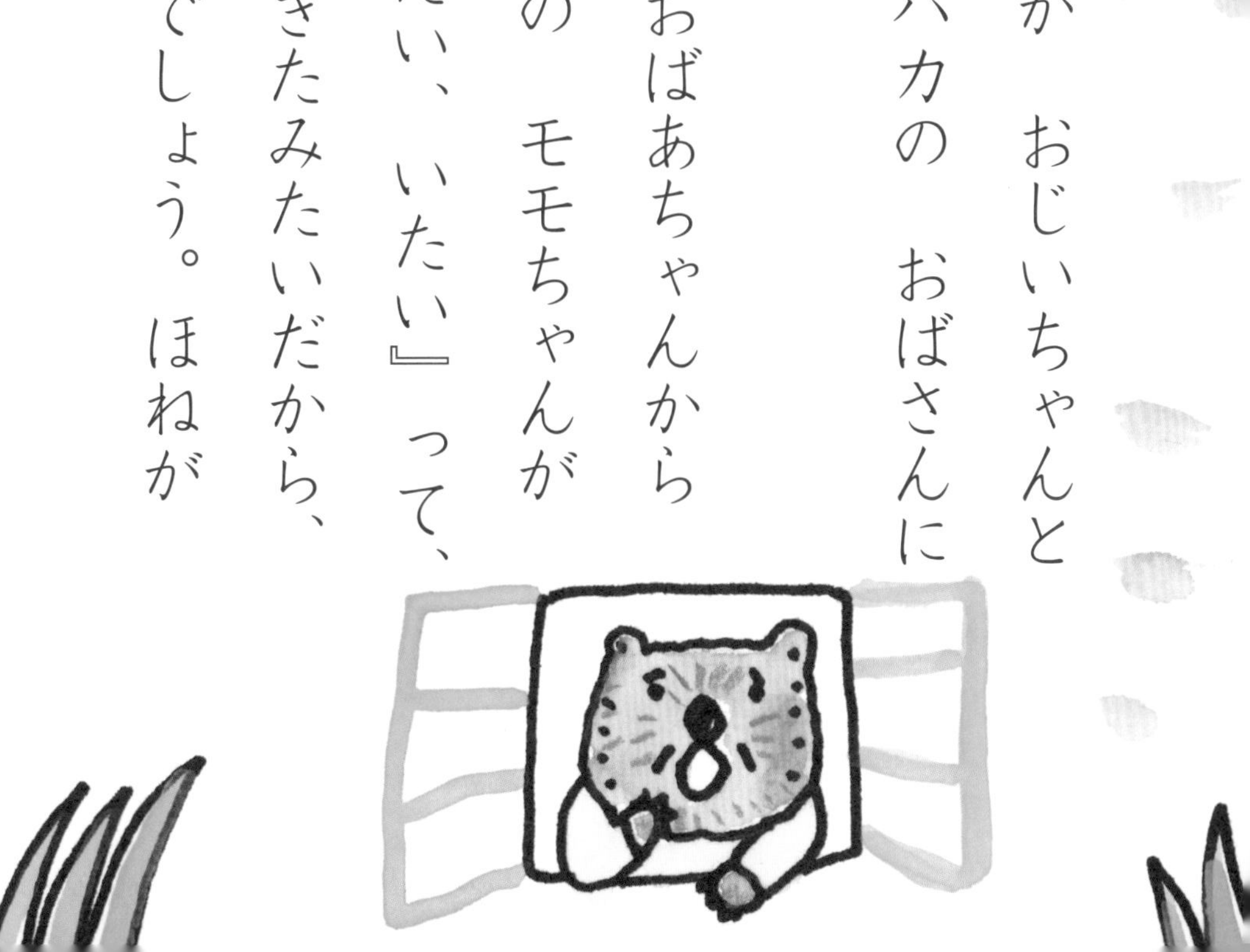

おれて　いないと　いいんだけど。二《に》か月《げつ》くらいにゅういんしなくちゃ　いけない　こともあるからね。」

この　はなしに　おどろいた　ケイちゃんは、おじいちゃんと　わかれてから、さるのワカちゃんの　いえまで　はしって　いきました。

「たいへんよ！　モモちゃんがけがしたみたいなの。なきさけんで

いたらしいから、ほねが　おれて
いるかも。そう　なると、
二《に》か月《げつ》は　にゅういんしないと
いけないって。」
　これを　きいた　ワカちゃんも　びっくりです。
「そう　いえば、モモちゃんちの　かいだんは、
きゅうだって　きいた　ことが　あるわ。きっと
かいだんから　ころがりおちて、足《あし》の　ほねを

おったんじゃ　ないかな。」
ケイちゃんと
ワカちゃんの　あるく
スピードは　どんどん
はやく　なり、すぐに
うさぎの　ミウちゃんの
いえに　つきました。
ミウちゃんも、これを　きいて

「しばらくは　あるけないじゃ　ないの！」
と、さけぶように　いいました。
りすの　ケイちゃん、さるの　ワカちゃん、
うさぎの　ミウちゃんの　三《さん》びきは、よく
むかいあって　はなしを　して　いました。
それは　まるで　三《さん》かくけいのように
見《み》えたので、クラスの　みんなから
「トライアングル」と　よばれて　いました。

いつもなら　空《そら》を　あおいだり、草花《くさばな》を
ながめたりしながら、がっこうへ　むかう
トライアングルでしたが、この　日《ひ》の　あさは、
ランドセルを　カタカタと　大《おお》きく　ならして
はしって　いきました。じんじゃに　よって、
モモちゃんの　けがが　はやく　よく
なるように、おねがいを　しようと
おもったからです。

かどを　まがると、おなじ　クラスの
きつねの　ズミくんが　あるいて　いました。
「あっ、ズミくんだ。おはよう！」
きこえて　いる　はずなのに、
ズミくんは　しらんぷりです。
「まってってば。モモちゃんが、
大《おお》けがしたみたい。」
この　こえに、ぴたっと

足《あし》を　とめた　ズミくんは、
すぐさま　ふりかえりました。
ちょうど　そこへ、
とおりがかった　かばの
ユマくんと　ぞうの
メアくんが、
「モモちゃんが　どうか
したの？」と、大《おお》きな

かおを　にゅうっと　ちかづけて　ききました。
　トライアングルは、
「モモちゃんが　かいだんから　おちたらしく、
足《あし》の　ほねを　おったかも　しれない。
そう　なると、二《に》か月《げつ》は　にゅういんする
ことに　なるだろう」と　はなしました。
　そして、むこうに　見《み》える
じんじゃの　とりいを　目《め》がけて、

はしって　いきました。
いっぽう、ユマくんたちも　いっせいに
はしりだしました。はやく　クラスの　子《こ》たちに
しらせたかったのです。
すると、とちゅうで　アルパカの　おばさんに
ぶつかりそうに　なりました。おばさんは、
「あぶないよ。さっきも　ケイちゃんに
あって　はなしたんだけど、

モモちゃんみたいに　けがを
して、いたい目《め》に　あうから
こんな　どうろで　はしったら
だめだわ。気《き》を　つけなさい。」
と、かおを　しかめて　いいました。
ユマくんたちは、「やっぱり、モモちゃんは
たいへんな　ことに　なって　しまったんだ」と
おもいながら、きょうしつに　かけこみました。

「ちょっと　きいて！」

「モモちゃんが　かいだんから　ころがり
おちて、足《あし》の　ほねを　おったって。」

「二《に》か月《げつ》の　にゅういんだって。」

これを　きいた　みんなは、おどろきました。

「そんなに　にゅういんしたら、べんきょうが
わからなく　なっちゃうよ。」

「それじゃあ、じゅぎょうで　やった　ことを

おしえに　いって　あげたら　どうだろう。」
「じゅんばんを　きめて、いこうよ。」
「お見《み》まいには、せんばづるかな？」
「つるの　おりかた、だれか　おしえて！」
はなしは　どんどん　大《おお》きく
なって　いき、お見《み》まいに　いく
そうだんまで　はじまりました。
そこへ、トライアングルが　とびこむように

入《はい》って　きました。
ユマくんは、すぐに　いいました。
「さっき、アルパカの　おばさんから
きいたんだけど、モモちゃん、そうとう　いたい
目《め》に　あったらしいよ。とうぶんの　あいだ、
がっこうは　むりだね。」
「やっぱり。」
トライアングルが　うなずきながら

ランドセルを　おろすと、　はじまりの
チャイムが　なりました。

ドアが　あいて、　シホせんせいが
入《はい》って　きました。
「おはようございます。　きょうは、　モモちゃんが
おやすみです。　おうちで　ころんで　しまって、
いま　びょういんに　いって　いるらしいの。

たいした　ことは　なさそうです。みなさんも
気《き》を　つけましょうね。」
　せんせいは、「たいした　ことは　なさそう」
と　いいましたが、みんなを
びっくりさせては　いけないと
おもって、大《おお》けがだと
いえないのでは　ないか、クラスの
子《こ》たちは　そう　おもいました。

いっぽう、おとなたちの　あいだでも、
大《おお》さわぎに　なって　いました。
りすの　ケイちゃんの　おじいちゃんは、
アルパカの　おばさんから　きいた　ことを、
ケイちゃんの　おかあさんに　はなしました。
「ケイの　がっこうの、ええと……、あれれ
なんだっけ。おなじ　もじが　二《ふた》つ　つづく
なまえ。ママ　じゃなくて、メメ、いや

ちがうな。うーんと……。」

「ミミじゃ　ないですか？」

おじいちゃんが　なかなか
おもいだせないようなので、
ケイちゃんの　おかあさんは、
さきまわりして　いいました。

「ああ、たしか　そんなような　なまえだった。
けがを　したらしくて、もしかしたら

二《に》か月《げつ》くらい　にゅういんする　ことに
なるかも　しれないって。」
おじいちゃんの　いった　ことに、
おかあさんは　おどろきました。
「ミミせんせいが　にゅういん？　これは、
たいへんな　ことに　なって　しまったわ。」
と　いうと、すぐに　さるの　ワカちゃんの
おかあさんと、うさぎの　ミウちゃんの

おかあさんに　でんわを　かけました。
とりあえず　ほうかご、がっこうへ　いって、
ミミせんせいの　ようすを　きいて　こようと
いう　ことに　なりました。
パンダの　ミミせんせいは、
ほけんしつの　せんせいです。
ほがらかで　やさしいので、
子《こ》どもたちは　ミミせんせいの　ことが

大《だい》すきでした。
「わたし、お見《み》まいの　お花《はな》を　よういしますね。」
ワカちゃんの　おかあさんは、でんわを
きるや　いなや、花《はな》やさんへ　すっとんで
いきました。
「へい、いらっしゃい！　まいど。」
ゴリラの　ごしゅじんは、めずらしい　花《はな》を

みせに　かざって　いました。
ワカちゃんの　おかあさんは、　ミミせんせいが　大《おお》けがで　にゅういんしたので、　お見《み》まいに　いくのだと　はなしました。　すると、　ゴリラの　ごしゅじんは、
「そりゃ、　えらい　ことだ。　とくべつに　サービスしますよ。」
と　いって、　たくさんの　花《はな》を　すてきな

ウホホ花店
UHOHO
FLOWER SHOP
UHOHO

花《はな》たばに　して　くれました。
その　あと　しばらく　して、　シホせんせいが
やって　きました。　花《はな》の　すきな
シホせんせいは、　がっこうの　かえりに、
ときどき　かって　いくのです。
ごしゅじんは、　シホせんせいに　ききました。
「ミミせんせいが　けがを　して、　びょういんに
はこばれたそうですね。

じゅうしょうらしいですが、
だいじょうぶでしょうか。」
「ええっ、しらなかったわ。じこに
あったのかしら。どう しましょう。大《だい》しきゅう
こうちょうせんせいに しらせないと。」
シホせんせいは 花《はな》を かうのも わすれて、
大《おお》いそぎで がっこうへ もどりました。
こうもんの ところには、いたちの

きょうとうせんせいが　立《た》って
いました。
「はあはあ」と、いきづかいを
あらくして　シホせんせいが
はなすと、
「なんだって？　ミミせんせいが
じゅうたい？　さっきまで
がっこうに　いたんですよ。」

きょうとうせんせいは、
かんだかい　こえを　あげました。
「きゅうきゅうしゃで　はこばれただろうから、
たぶん　ちゅうおうびょういんですね。とにかく、
シホせんせいは　びょういんへ　いって、
ようすが　わかったら　わたしに　しらせて
ください。こうちょうせんせい！　こうちょう、
こうちょう！　えらい　ことに　なりましたっ！」

と　あわてふためいて、こうちょうしつに
かけこんで　いきました。
シホせんせいは　じてんしゃに　とびのると、
おまわりさんから　しかられそうなくらいに
スピードを　出《だ》して、びょういんへ
むかいました。その　あとを、ひょうの
こうちょうせんせいが、はしって　ついて
いきました。

ちょうど　その　とき、がっこうへ　ついた
トライアングルの　おかあさんたちは、
シホせんせいと　こうちょうせんせいが
けっそうを　かえて　はしって　いく
すがたを　見《み》かけました。
「ミミせんせいの　ところへ　いくのだ」と
おもった　おかあさんたちは、すぐに
あとを　おいかけて　いきました。

たまたま　そこへ
出《で》くわした、たぬきの
ツナくんの　おとうさんが、
さいごに　はしっていく
うさぎの　ミウちゃんの
おかあさんを　よびとめて、
どこへ　なに　しに　いくのか、
その　わけを　ききました。

ツナくんの　おとうさんは、
「ミミせんせいの
いのちが　あぶない！」
とっさに　そう
おもいました。
「つい　この　あいだも、
うちの　むすこが
ひざこぞうを　すりむいて、

おせわに　なったんだ。わたしも
あとから　かけつけます。」
ツナくんの　おとうさんは、
なみだぐみながら　いいました。
ツナくんの　いえは、くだものや
やさいなどを　うって　いる　みせです。
おとうさんは　みせに　もどると、
とくじょうの　メロンを　かかえ、

びょういんへと　いそぎました。

トライアングルは、がっこうの　かえりに
モモちゃんの　いえを　たずねました。
チャイムを　ならすと、おかあさんが
出《で》てきました。
「モモちゃん、足《あし》を　おって　大《おお》けがを　した
みたいですが、だいじょうぶですか？」

「二《に》か月《げつ》も　にゅういんするんですか？」
「どこの　びょういんですか？」
トライアングルは、つぎつぎに
しつもんしました。
おどろいたのは、モモちゃんの
おかあさんです。
「大《おお》けがで　にゅういん？　モモは　二《に》かいに
いますよ。モモ、おりて　きなさい。」

なんと、足《あし》を　おって　にゅういんした
はずの　モモちゃんが、かいだんを　すたすたと
おりて　くるでは　ありませんか。おどろいて、
ぽかんと　して　いる　トライアングルに、
モモちゃんは、ほうたいを　かるく　まいた
左手《ひだりて》を　見《み》せるように　して　いいました。
「けさ、花《はな》に　水《みず》やりを　して　いて、
つまずいて　ころんじゃったの。その　とき、

手《て》を　すりむいて　ちが　出《で》てね、『ばいきんが
はいると　いけない』って　おとうさんに
いわれて、びょういんへ　いったの。ころんだ
ときは　いたかったけど、もう　へいきだよ。」
トライアングルは　つったった　まま、
ことばが　出《で》て　きません。そう　いえば、
シホせんせいは　足《あし》とは　いって　いなかったし、
たいした　ことは　ないとも　いって　いました。

大《おお》けがでは　なくて、ほんとうに
よかったのですが、トライアングルは
こまったなと　おもいました。
「モモちゃんが　けがを　したらしい」と
じぶんたちが　いった　ことで、クラスじゅうが
お見《み》まいに　いく　じゅんびまで　して
いたからです。
　トライアングルは、あした　みんなに　なんて

いったら　いいんだろう、と　おもいながら、
とぼとぼと　いえに　かえって　いきました。

その　いっぽうでは、おとなたちが
つぎつぎと　ちゅうおうびょういんへ
とうちゃくして　いました。
さいしょに　ついた　シホせんせいが、
うけつけで　ミミせんせいの　ことを

たずねましたが、
「そのような　かたは、
はこばれて　きていません」と
いわれて　しまいました。
「ほかの　びょういんかしら？」
シホせんせいは、　ミミせんせいの　いえに
でんわを　かけて　みました。
すると、　じゅわきの　むこうから、

ミミせんせいの　いつもの　げんきな　こえが
きこえて　きたでは　ありませんか！
ひっしに　はしって　きた
こうちょうせんせい、トライアングルの
おかあさんたちは、その　ばに　へなへなと
しゃがみこんで　しまい、ツナくんの
おとうさんは、メロンを　すとんと
ゆかに　おとして　しまいました。

どこから　こんな　とんでもない　はなしに
なって　しまったのか、みんなで　くびを
かしげながらも、とにかく　ミミせんせいが
ぶじで　よかったと　あんしんしました。
ただ、りすの　ケイちゃんの

おかあさんだけは　うつむいた　まま、なんかいも　あせを　ぬぐって　いました。

いえに　かえった　ケイちゃんの　おかあさんは、ほんとうに「ミミ」と　いう　なまえだったのかと、おじいちゃんに　たずねました。ちょうど　そこへ　ケイちゃんが　かえって　きて、けがを　したのは

ミミせんせいでは　なく、
モモちゃんだと　わかりました。
しかも、大《おお》けがでは　なく
かすりきずだったのです。

よくあさ、トライアングルが
とうこうして　いると、うしろから
こえが　かかりました。

「おはよう！」
モモちゃんでした。
「きのうは　しんぱいして、うちに
きて　くれて　ありがとう。」
「ううん、ごめんね　モモちゃん。」
「大《おお》けがを　したかもって、
わたしたちが　クラスの　子《こ》に
いって　しまったの。」

「みんな、モモちゃんが　にゅういんしたと
おもって　いるから、モモちゃんの　すがたを
見《み》たら、びっくりするわ。」
トライアングルは、ぼそぼそと　はなしました。
とくに、「モモちゃんが　けがを　したらしい」と、
さいしょに　いいだした　ケイちゃんは、
下《した》を　むいて　しょんぼりして　いました。
「だいじょうぶ。みんなを　おどろかせて

あげようよ。」
モモちゃんは、ケイちゃんの　かたを　ぽんと
たたくと、せんとうに　立《た》って　あるいて
いきました。
モモちゃんが　きょうしつに　入《はい》り、つづいて
トライアングルが　入《はい》って　いくと、
「あれっ、モモちゃん。どうして　ここに

いるの？」
「足《あし》の　けがは？
にゅういんは？」
「その　手《て》は？」
と、しつもんぜめに　あいました。
モモちゃんは、にこにこしながら
こたえました。
「わたしの　手《て》の　けがが、

足《あし》の　けがに　なって、かすりきずが
大《おお》けがに　なって、さらに　にゅういんまで
した　ことに　なって、みんなで　すごい
でんごんゲームを　しちゃったんだね。」
たしかに　一《いち》ねん一《いち》くみの　子《こ》たちは、
とんでもない　でんごんゲームを
やって　しまったようです。
「大《おお》けがじゃ　なくて

よかったね、モモちゃん！」
だれかの　こえと　ともに、
はくしゅが　わきおこりました。
モモちゃんは　うれしそうでした。
トライアングルも、えがおに
なって　いました。

さて、その　ころ　しょくいんしつでは、

せんせいたちは　えがおどころか、　にがわらいを
して　いました。　モモちゃんの　かすりきずが、
ミミせんせいの　じゅうたいさわぎに
なって　しまったなんて！
おとなたちも　また、
でんごんゲームを
やって
しまったのです。

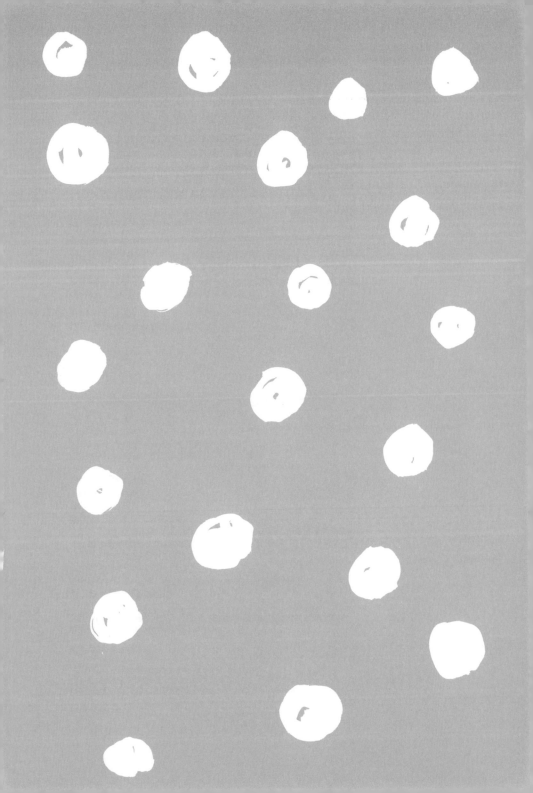